ROSSINI

MESSE SOLENNELLE

for

four solo voices and chorus

VOCAL SCORE

for voices and piano with harmonium ad lib.*

(*2nd Piano part available on hire)

G. RICORDI & CO. (London) LTD.

DURATION FOR CONCERT PERFORMANCE APPROX 80 MINS.

... the 'Petite Messe solennelle', ... though so called with a touch of Rossinian pleasantry, is a mass of full dimensions, lasting nearly two hours in performance. This work, comprising soli and choruses, was written with the accompaniment of a harmonium and two pianos ... Rossini afterwards scored it with slight alterations for full orchestra, and in this shape it was performed for the first time in public at the Théâtre-Italien, on the evening of Sunday, 28 February 1869 on the seventy-eighth anniversary of the composer's birth as nearly as that could be, seeing that he was born in a leap year on 29 February.

Grove's Dictionary of Music and Musicians, 5th Edn., edited by Eric Blom, and published by Messrs. Macmillan & Co. Ltd.

In this vocal score the piano part has been brought as nearly as reasonable to Rossini's full score, as far as dynamics and phrasing are concerned. The original performance referred to above was indeed it seems given with accompaniment for harmonium and two pianos but the second piano was a ripieno part, only reinforcing the first piano at suitable places. The first part appears, with the original dynamics and phrasing, in the Milan edition, which is still available for hire. The second piano part is also obtainable on hire.

This edition is intended as a practical one for choirs who propose to give performances with orchestra. Performances with the original keyboard accompaniment, or with various modifications of it, are of course also possible.

The Orchestral Score and Parts are on hire

contents

G. ROSSINI

MESSE SOLENNELLE

I. KYRIE

Soloists and Chorus

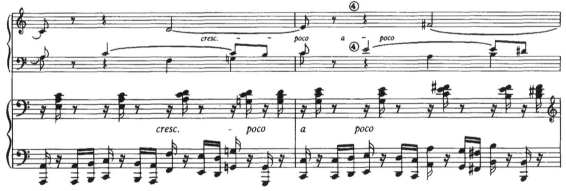

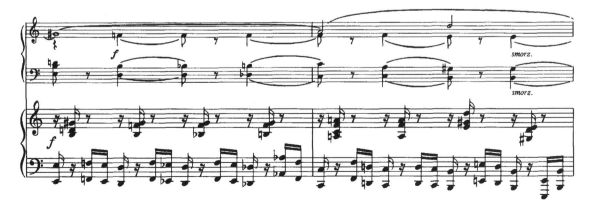

L. D. 436

1 Soloists with Choir

8

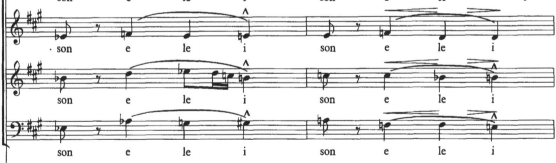

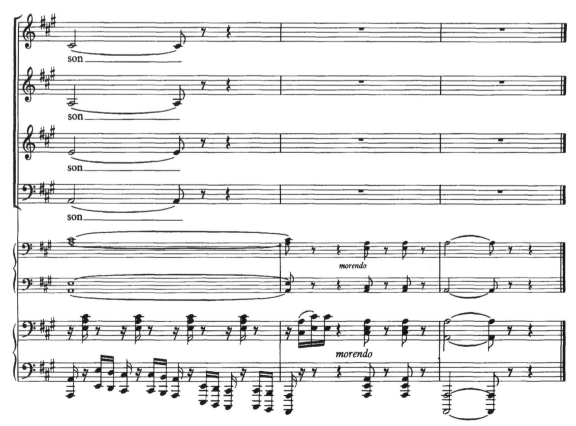

2. GLORIA

Soloists and Chorus

Andantino mosso (♩ = 58)

Et in ter - ra pax ho - mi - ni-bus bo - næ vo - lun - ta

22

3. GRATIAS

Contralto, Tenor, and Bass

a gimus ti bi prop ter__ ma gnam glo riam

CONTRALTO SOLO

Gra ti as a gi-mus ti

glo ri-am tu am Gra-ti-as a-gi-mus a-gi-mus

·bi prop ter__ ma gnam_ glo ri-am glo ri-am

ti bi prop ter ma gnam glo-ri-am glo-ri-am

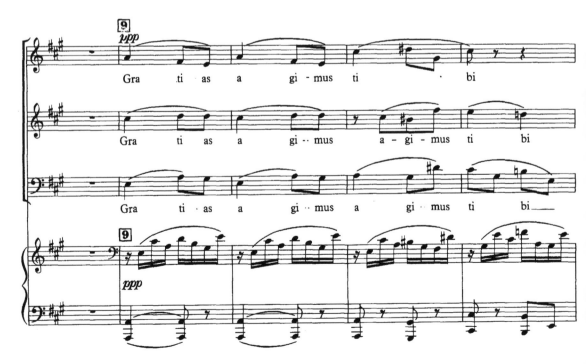

C

4. DOMINE DEUS

Tenor

Do - mi ne— De us rex— cœ

les tis De us__ Pa ter om ni po

-tens__ Do mi ne fi li u ni

ge ni-te Je su Je su__ Chris

te__ Je su Chris - te Je su

Chris te Do mi ne De us rex coe

les tis De us Pa ter om ni po

tens Do mi ne fi li u ni

ge ni te u ni ge ni te Je su Chris

Fi li · us Pa tris

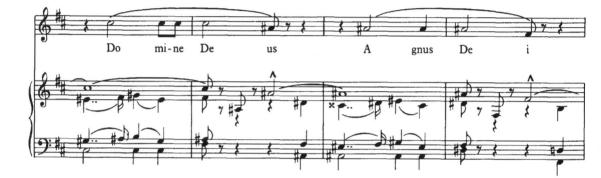

Do mi-ne De us A gnus De i

A gnus De i Fi li us Pa tris

Fi li us Pa tris Do · mi ne___

De - us Rex__ cœ - les - tis De - us__

Pa - ter om - ni - po - tens____ Do - mi - ne__

Fi - li - u - ni - ge - ni-te Je - su__

Je - su__ Chris - te____ Je - su

ge   ni - te Je - su Chris   te   Do   mi - ne

De   us   A   gnus De   i

Fi   li   us Pa   tris   Fi   li   us

Pa   tris   Fi - li   us__

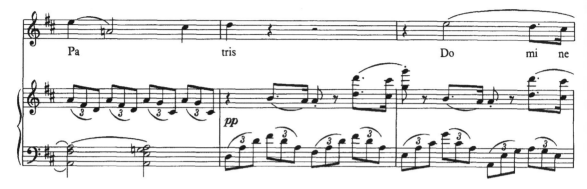

Pa ... tris ... Do ... mi ... ne

De ... us ... A ... gnus De ... i

Fi ... li ... us Pa ... tris ... Fi ... li ... us

Pa ... tris ... Fi ... li ... us___

Pa   tris Fi li ·us Pa   tris Fi li ·us

Pa   tris.

5. QUI TOLLIS

Soprano and Contralto

44

L.D. 436

D

re   re no bis mi-se-re   re

mi-se-re re no — bis   mi-se-re   re

no   bis   mi   se   re   re

no — bis mi   se   re   re_____

48

ca ta mun di su sci pe

de pre ca ti o nem nos tram

Qui

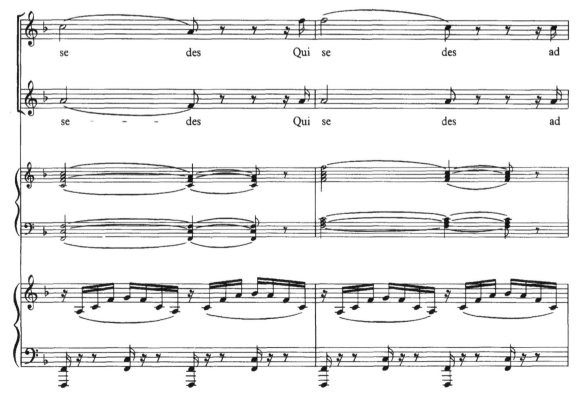

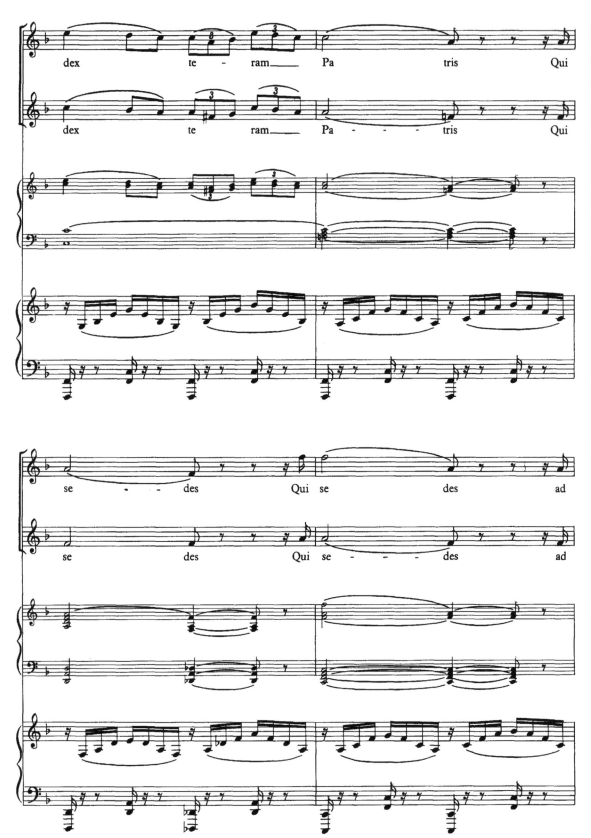

60

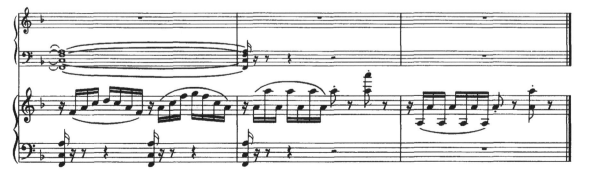

6. QUONIAM

Bass

19 BASS SOLO

Quo ni - am___ tu so lus___ sanc tus

Quo ni - am___ tu so - lus___ sanc tus Tu

so lus Do mi-nus tu so lus Do mi-nus Tu

simile stacc.

so lus al tis si‑mus Je su___ Chris te

Je su Je su Chris · te Tu

so lus Tu so lus al tis si‑mus al

·tis si · mus Je su Chris te___ Tu so lus al‑

- tis si - mus Je su — Je - su — Chris

20

te

Tu so lus

sanc - tus Tu so - lus Do mi-nus Tu so-lus al -

simile stacc.

-tis si-mus tu so lus al tis si mus Je su_

21

Chris-te

Quo ni-am tu

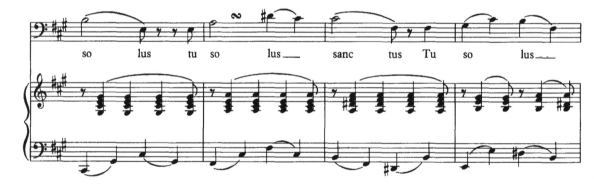

so lus tu so lus___ sanc tus Tu so lus___

Do - mi - nus Tu so lus al tis si mus Je su Chris

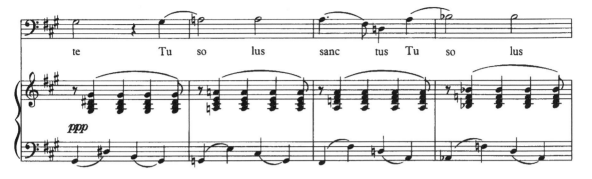

te Tu so lus sanc tus Tu so lus

Do mi-nus Tu so lus al tis si-mus Je su

Chris te Je su Chris te Tu

so lus Tu so lus

al tis si mus Je su

Chris te Tu

so lus tu so lus al tis si-mus Al

-tis si mus Je su Chris te Tu

so lus al · tis si · mus Je su__ Je - su__

Chris te

Tu so · lus sanc tus Tu so · lus

Do mi-nus Tu so·lus al tis si-mus Tu so lus al

·tis si mus Je su___ Chris-te

Quo ni-am Tu so lus tu so lus___

sanc tus Tu so lus___ Do·mi-nus Tu so lus al

tis si mus Je su Chris te Tu so lus

sanc tus Tu so lus Do mi-nus Tu so lus al

·tis si -mus Je su Chris te__ Je su Chris

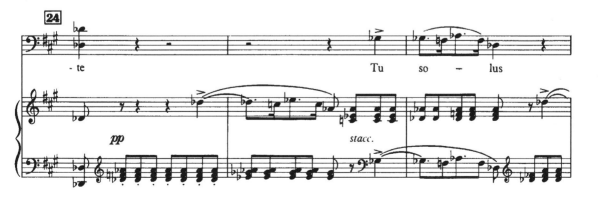

-te Tu so – lus

Tu so - lus Al

tis si mus Je su Chris

te Tu so lus tu so lus Al

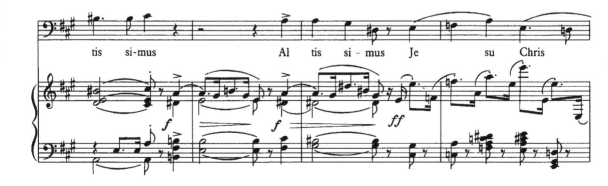

tis si-mus Al tis si - mus Je su Chris

te____ Tu so lus al - tis si-mus Je su Je - su____

Chris te. Tu so lus____ Je su____

Chris te Tu so lus____ Je su

Je su____ Chris te

Subito
Cum Sancto Spiritu

7. CUM SANCTO SPIRITU

Soloists and Chorus

men____ A - - men A - - men A -
- men A - - -
A men__ A - men__ A

92

94

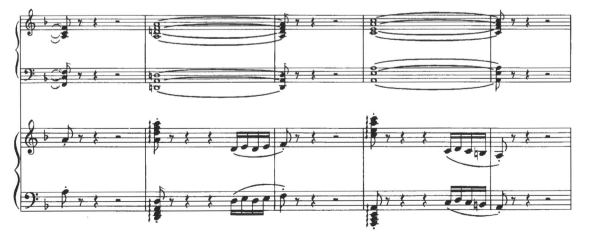

8. CREDO

Soloists and Chorus

U ni ge ni -tum

Fi li um De i U — ni ge ni -tum

an te om ni a

Et ex pa -tre na tum an te om ni a

Et ex pa -tre na tum an te om ni a

Et ex pa -tre na tum an te om ni a

114

116

fac - tus est.___

fac tus est.___

9. CRUCIFIXUS

Soprano Solo

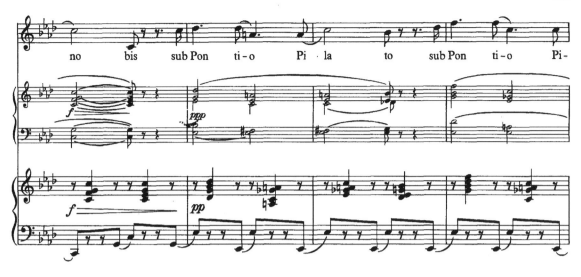

no bis sub Pon ti - o Pi - la to sub Pon ti - o Pi-

- la to pas sus___ pas - sus et se - pul tus

est pas sus___ pas - sus___ et se - pul tus

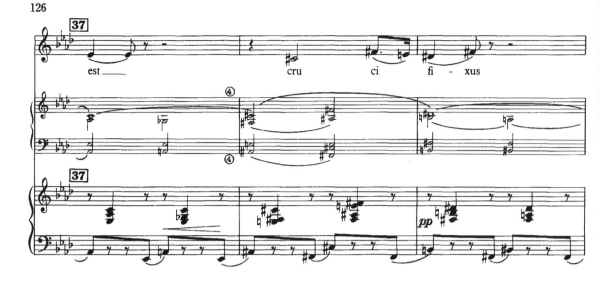

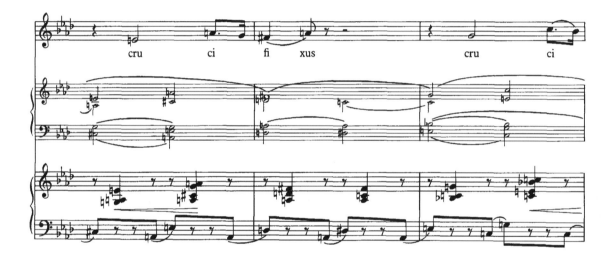

IO. ET RESURREXIT

Soloists and Chorus

Cre ·   do   Cre

Cre   do   Cre

Cre   do   Cre

Cre ·   do   Cre

- do

- do

- do

- do

per pro - phe

per pro - phe

per pro phe -

per pro phe

40

tas_____ Et

tas_____ Et

tas_____ Et

tas_____ Et

40

et A pos to li - cam Ec cle si
- to li - cam et A pos to li - cam Ec cle si
- to li - cam et A pos to li - cam Ec cle si
to li - cam et A pos to li - cam Ec cle si

TUTTI *f*

- am Cre do
- am Cre do
- am Cre do
- am Cre do

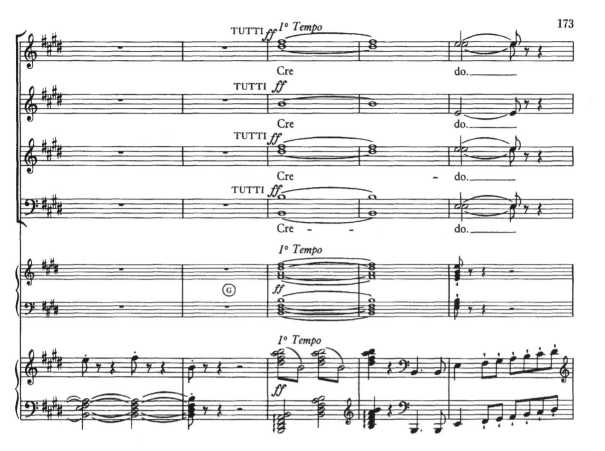

II. PRELUDIO RELIGIOSO

(Offertory)

Ritornello

I2. SANCTUS
Soloists and Chorus

182

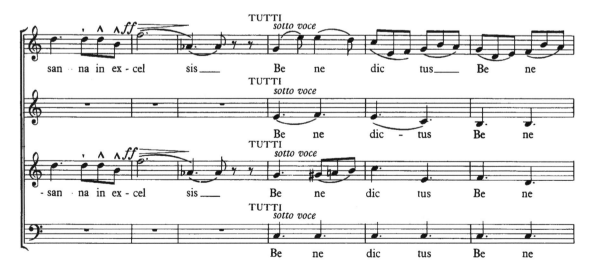

13. O SALUTARIS

Soprano

46

SOPRANO

O sa lu ta ris hos ti a Quæ cœ li pan -

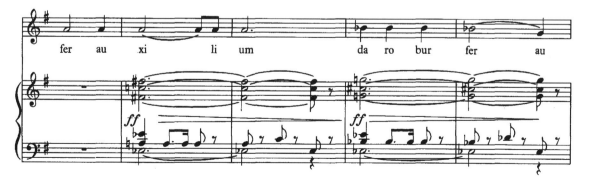

a quæ cœ li pan dis os ti - um.

Bel la pre-munt pre-munt

pre - munt pre - munt os ti li

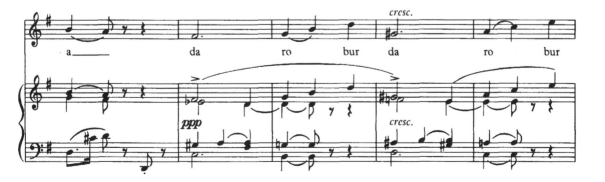

a____ da ro bur da ro bur

da ro bur fer au xi li um da ro bur

fer au xi li um da ro - bur fer au

xi li um. Bel la pre-munt hos-

ti li a Bel la pre-munt hos-ti li a

Bel la pre-munt hos - ti li - a

da ro bur da ro bur

da ro bur fer au xi li um da ro bur

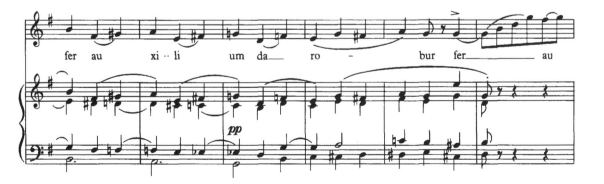

fer au xi li um da ro - bur fer au

14. AGNUS DEI

Contralto Solo and Chorus

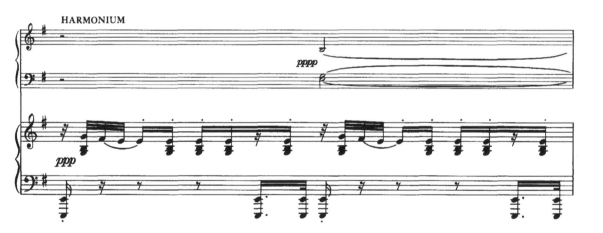

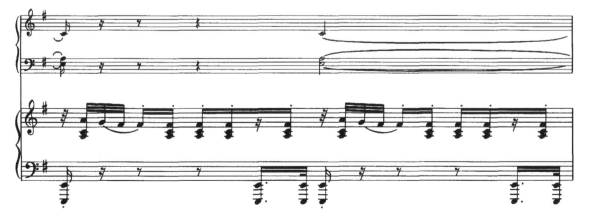

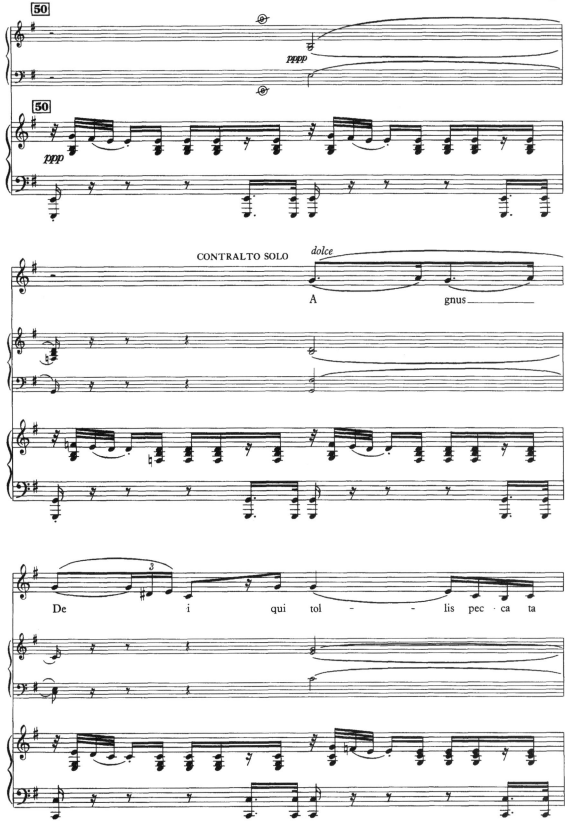

mun   di   qui tol   lis   pec   ca   ta

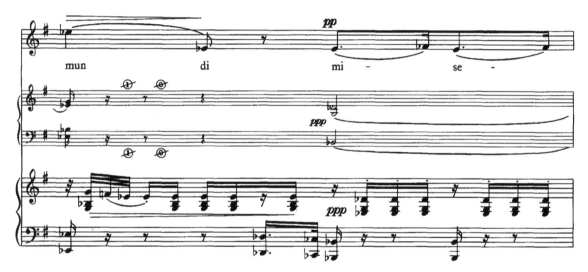

mun   di   mi -   se -

re -   -   re   mi   se   re   re

mi - se re re___ no -

- bis

SOPRANO *sotto voce*
Do - na no bis_ pa cem do na no bis_ pa cem

CONTRALTO *sotto voce*
Do - na no bis pa - cem do na no bis pa - cem

sotto voce
Do - na no bis_ pa cem do na no bis_ pa cem

sotto voce
Do na no bis pa cem do na no bis pa cem

51

ppp

mun - di do - na no bis pa

cem_____ do - na no bis pa

cem_____ do - na no bis_ do na_

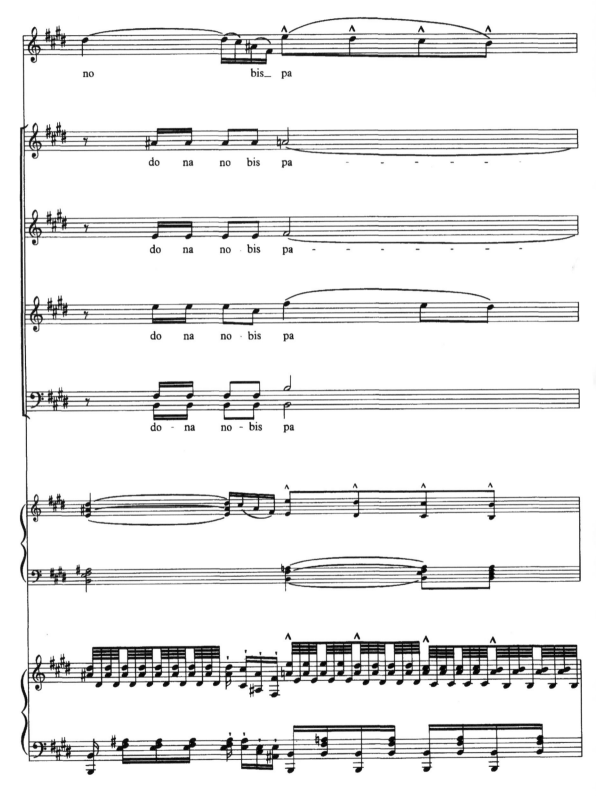

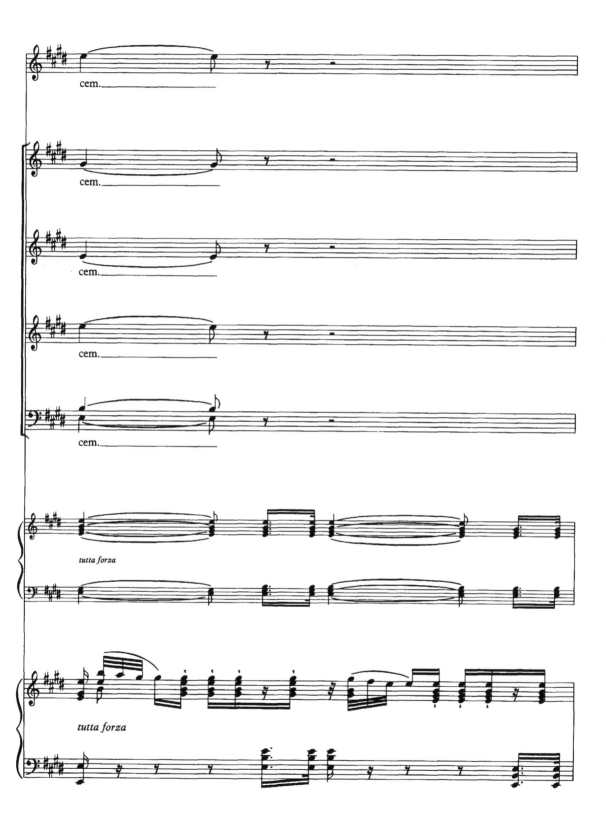

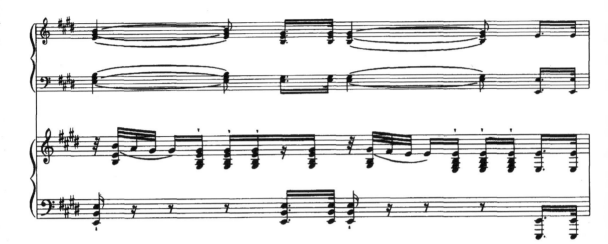